KB171793

우리의 여름은 영원이라는 그림자만을 남긴 채

우리의 여름은 영원이라는 그림자만을 남긴 채

발 행 | 2024년 05월 29일
저 자 | 김아림
펴낸이 | 한건희
펴낸곳 | 주식회사 부크크
출판사등록 | 2014.07.15.(제2014-16호)
주 소 | 서울특별시 금천구 가산디지털1로 119 SK트윈타워 A동 305호
전 화 | 1670-8316
이메일 | info@bookk.co.kr

ISBN | 979-11-410-8732-6

www.bookk.co.kr

우리의 여름은 영원이라는 그림자만을 남긴 채

아림

목차

[영원의 쉼표.]
-우리는 누군가의 첫사랑이었는가?
~~-1126611~~
-점부터 시작하는
-이름 없는 증명
-you
-너에게 파랑을 보낸다
-⚠독성
-영원≠사랑
-바다는 모든 것을 기억한다
-해파리처럼 유영하다
-광합성

[우리의 그림자를 영원이라고 칭하기로 하였다.]
-0원
-남아있는 꽃잎
-너에게
-우리의 여름은 영원이라는 그림자만을 남긴 채
-너는 나의 사계절이었다
-end [부제-너에게(2)]

[여담]

[아웃트로]

우리에게 여름이란 무엇이었을까. 우리가 보낸 여름의 추억을, 청춘을 영원이라 부르며 맹세하고 또 맹세하잖아. 그리고 남겨진 것들에 대해 이름을 붙이는 것을 허락해 주겠니. 내가 사랑했던 너에게, 아직도 사랑하는 너에게. 애초에 영원이란 존재하지 않지만 널 생각하면 그것이 실존했으면 좋겠다는 망상을 해. 널 향한 여름, 널 향한 영원. 우리에게만은 오래 유지되길 바랐던 그 사랑의 영원을 위하여.

[여름을 추구하는 자]

여름이 우리에게 미쳤던 영향

우리가 사랑에 빠졌던 그 여름. 능소화가 만개하고 달맞이꽃이 우리를 바라보며 맞이했던 그 날을 난 기억해. 서투르게 사랑을 맹세하며 이 계절이 영원하길 바랐던 바보 같은 모습의 우리. 난 그 서투름까지가 우리였다고 생각해. 햇빛에 유독 빛나던 네 얼굴이 반짝이고 너와 잡은 손이 더욱 뜨거웠고, 여름이 가진 특유의 색을, 그리고 감성을 느끼며 너, 나, 그리고 우리 뒤를 쫓던 그 그림자. 어쩌면 그 그림자는 그때부터 우리의 자리를 노리고 있었을지도 몰라. 어쩐지, 유독 자주 보이더라. 가끔은 그 그림자가 날 삼킬 것 같았어. 결국 우리는 삼켜져 우리의 실은 끊어졌지만.

우린 아무것도 모르고 그 그림자에게 영원이라는 이름을 지어주었어. 지금 생각해 보면 참 바보 같지. 난 정말 그 그림자가 우리처럼 영원한 줄 알았어. 그렇지만 영원한 것은 그림자뿐이었고.

이름의 영원

영원, 永遠, 길고 먼 것. 끊임없는 것
모든 사람들은 영원을 꿈꾼다
인간관계에서도, 사랑에서도, 삶에서도

현실에서 정말 영원한 것이 있을까
그런 의미를 충족하는 것이 있을까
모든 것의 끝은 있고
우리는 죽는다

난 그럼에도 너와는 영원을 꿈꿔
널 영원히 사랑하고 싶어서
내 마음은 계속 끊기지 않고 영원하길 바라

다음 생이라는 것이 있다면
난 다음 생에서도 널 찾아내 사랑할 거야
그러니까 걱정하지 마

내일이 오지 않아도, 우리가 갑자기 죽는다고 해도
어디선가 난 널 사랑하고 있을 거야

초록색 창문

여름을 좋아하는 이유는 셀 수도 없이 많지만 유독
난 그 여름만이 가진 느낌이 좋아
창문으로 들어온 빛을 받고 있으면
나도 모르게 행복해지고
따스해서, 포근해서
나도 모르게 편안해져

그렇게 내 창문은 점점 초록색으로 물들어간다
어쩌면, 이번 여름 안으로
이 방 전체가 초록으로 물들 것 같아
물드는 것보단 잡아먹힌다는 표현이
더 잘 어울릴 것 같긴 하지만

나중에, 아주 나중에
내 몸이 초록색이 되어버려도
초록색인 나도 나로 바라봐 줄 수 있어?

하루하루 초록색으로 변하는 것들을 보며
작게 중얼거렸다

홀씨가 흩날리다

정신을 차려보니 피어있는
자리를 잡아 관모를 비춘 민들레를 보았다

많은 내 감정들이 뿌려져
당신은 어떻게 내 민들레가 피어나게 한 건지
당신이라는 들판에
뿌리를 내려 홀씨를 퍼트리게 한 건지

참 이상한 사람이다
내 민들레로 꽃밭을 만들다니
민들레는 흔한 풀이 아니었던가?

소음

하던 일을 멈추고 주변 소리에 집중하면
많은 소리들이 들려
오늘은 어떻고, 그 과목이 어땠고,
오늘 급식은 무엇이 나오는지,
하교 후에 무엇을 할 건지

내가 그 사이에서 가장 관심 있는 것은 너야

너의 발돋움 소리.
아니, 그것은 발소리가 아닐지도 모르겠어
어쩌면
내 몸속 소음일지도 몰라
너에게 들리지 않을까, 제일 걱정이기도 해

우리는 이런 소리에 익숙해진 채로
어른이 되겠지

그런 소리들을 들은, 느낀
그리고 그 소리에 공존하였으며
꿈을 키워나갔으니까

우리는 멋진 사람이 될 거야
그 소리들을 밑바탕으로

욕심을 가진 자

하늘의 별이 왜 안 찍히는지 알아? 우리 눈으로 이미
담았기 때문에 카메라 속에 안 담기는 거야

넌 가만히 듣고 있다가 휴대폰을 들어
찰칵, 소리를 냈다

내 말이 이상하다는 듯
내 얼굴 한 번,
휴대폰 속 화면 한 번

나는 손을 맞잡고 작게 속삭였다

이 세상 사람들은 모든 걸 가지고 싶어 해
눈으로 담는 것만으로는 부족한 거야
그래서 우리는 이제 휴대폰으로도
별을 담으려고 하잖아

욕심쟁이네, 하고 피식 웃어대던 너에게 차마,
내 눈도 너를 쫓는다고 말하지 못했다

넌 눈에만 담기엔 너무 과분해, 놓치고 싶지도 않아
오래 이 한 장면, 장면들이
기억에 남을 수 있으면 좋을 텐데

행복은 작은 것부터 시작되고

세잎클로버는 행복, 네잎클로버는 행운이라고 하잖아
흔한 행복들 사이에서 행운을 찾는 것을
사람들은 원하고 말이야
근데 난 있지, 행복들이 흔하지 않다고 생각해
흔한 게 없어지면 허전함은 배가 되잖아

***
그래서 나는 너와 끝날 거라는 그 미래를 믿고 싶지 않아
넌 나의 클로버야, 어떤 형태든

흔하더라도 그렇지 않더라도 너를 사랑해

-나의 클로버인 너에게-

추신, 넌 나의 행운이자 행복이니까

청춘의 다른 뜻

푸르른 봄.
청춘의 뜻에는 봄이 들어가지만
내가 생각하기에 청춘의 계절은 여름 같아서

여름의 분위기,
되돌아보면 가장 향기가 오래 남는

능소화가 피는 담벼락을 빤히 바라보며 이 계절이 영원하길 바라

인생의 찬란한 시기를 헛되게 보내지 않고 싶다면
나만의 청춘을 만들어 새기면 된다
만들어진 나의 청춘을 좌우명으로 여기고
하루하루를 살아가면 된다

내 청춘은 여름 자체라서
난 평생 여름을 내 안에 새겨넣을 거야

나에게 여름은 죽지 않아, 없어지지 않아

낭만을 추구하고 여름을 바라는 삶을 살며
나만의 청춘을 고대해

여름 실조

우리는 언제나 함께 여름을 만끽했다
우리가 함께하면 그 어느 곳도 여름이 될 수 있었다

너와 손을 잡으면 그곳은 초록빛 숲이 되었고,
너의 말은 바다가 되었고,
함께하는 순간들이 몽글몽글 쌓여 하늘이 되었다

너와 함께라면 이대로
이 여름인 상태로 멈춰도 행복할 것 같아
우리에게서, 세계에서 여름이 없어진다면
너의 손을 잡을게
눈을 감고 너의 얼굴을 떠올릴게

너의 눈꼬리가 접히며
나에게 환한 미소를 보여주었을 때

나도 네게 여름을 선물해 줄 거야

그러니, 우리가 함께인 이상 없어지지 않아, 여름은

영원을 약속한다는 것은

참 모순적이지 않아요? 영원을 약속하겠다는 말. 영원은 실존할 수 없는 거잖아요. 한결같이 죽지 않는, 없어지지 않는 삶을 사는 것이 있을까요? 모든 건 낡아지고 변하고 죽을 텐데.

그럼에도 우리는 '사랑'이라는 단어에 영원을 약속하잖아요. 그래서 좋아요, 없는 것이라는 걸, 실존하지 않는다는 걸 알면서도 그놈의 사랑이 믿을 수 있게 만들어 준다는 게.

그래서 저는 당신과 영원을 약속한 거예요.

불완전한 균형

사랑이라는 이름의 시소는
유독 중심을 맞추기 어려워서

어떻게 앉아있어도
무게가, 그 자리가 다르니까
순간마다 감정이 변화하고 요동쳐서

시소를 보면 중심을 맞추는 습관이 생겼다
어느 쪽이 더 많다는 정의는 누군가에게 유리하지만
상대에게 불리할 수도 있으니
모든 것이 수평을 이루었으면 좋겠어

하늘과 바다
끝이 없는 그래프
그리고 나만은 오롯이 영원할 거라
믿는 이 감정은 모두
수평을 이루어 끊임없이 자라나고 올곧게 뻗어지겠지

나, 있지
미리 말하는 건데
너에게는 수평을 맞추지 못할 것 같아서,
아무래도 내가 더 무거운 것 같아서

생각과 마음은 따로 노는 것이니까

단 하나

이 감정의 이유가 뭐냐고 묻는다면
셀 수도 없이 많아서 대답하기 어렵지만

여름은 단 하나뿐이라서 더 특별한 것 같아

수억, 수천만의 살아있는 것들과
살아있지 않은 것들이 공존하는 이 세상에서
나만의 여름을 만날 확률
그 여름에게 사랑에 빠져

이것보다 더한 축복이 있을까?

손을 뻗어 닿는

어떠한 노력도 없이 얻어지는 것은 없다
무언가를 꾀하려면 악착같이 노력해야 한다

그러니 내게 무언가 사랑할 힘을 주세요
무언갈 사랑할 용기를 주세요

내가 그것을 사랑해서 얻기 위해
그럴 자격이 있는 사람이 될 수 있게

사랑, 할 수 있는 힘을 주세요

[영원의 쉼표]

우리는 누군가의 첫사랑이었는가?

“우리는 모두 누군가의 첫사랑이었다.”

첫사랑, 이 단어의 의미는 각자 생각하는 것에 따라 다르겠지
그래도 우리는 알게 모르게,
그러니까 모르는 사이에
누군가의 동경이 되었을지도 몰라
누군가가 좋아하는 대상이 되었을지도
첫사랑 재질, 이라는 말이 떠돌 듯
네가 어떤 존재든 누군가는 너를 꾸준하게 사랑해

은은한 빛이 스며드는 한여름의 한낮
그 시간에
하필이면 너를 보아서

나의 시간은 그때로 멈춰있잖아
세상의 모든 것들의 색이 전부 사라지고
너만이 뚜렷한 색을 가지고 있는,
세상이 멈춘 것처럼 천천히 흐르고
내 눈은 너로 가득한

~~1126611~~

1126611에 밑줄 하나를 그으면
숨겨진 단어가 있어
사랑해,

선으로 인해 나의 마음이 드러나
조금은 부끄럽지만 서툰 마음

숨겨진 것이 드러날 때
그 순간의 감정은 말로 이루어질 수가 없어서
나는 그 단어 안으로 도망치게 돼

점부터 시작하는

생각해 보면 모든 것들은 점부터 시작한다
우주도, 나도, 글자도 … 수많은 것들이
아무것도 아닌 '점' 부터 시작한다
내가 사랑이라고 칭하는 감정도
작은 점부터 시작했겠지

너를 보면 점이 생각이 나
모든 것의 시초 같아서
그 점부터 너무 많은 것들이 흘러내려서

그렇게 나는 너를 보면 점을 떠오르는 일이 늘어났다
넌 나의 점이다,
나만의,
최초의,
최고의 점

이름 없는 증명

우리 관계의 정의는 무엇이 좋을까,
'연인' 혹은 '사랑' 같은 말은 뻔하잖아

그렇게 우리는 우리의 관계에 대해
어떠한 명사도 붙이지 않기로 했다

이름이 없다고 그 사이에 있는 사랑이 없어지지 않아
빈칸이라는 건, 즉 투명하다는 거, 무한하다는 거
그걸로 난 충분해

그렇게 우리는 이름 없는 증명을 했다

you

청춘의 색이 무엇이라고 생각해
나는 쉽사리 대답할 수 없었다
떠오르는 건 많았지만
청춘이라는 것은 형용할 수 없는 거잖아
무언가 형용할 수 없는 것

그것은 사랑인 것 같아

내가 청춘의 기간 동안 하는 것은
낭만을 사랑하는 일
이번 여름도 끊임없이
'여름' 이라는 계절을 사랑하는 일
끝을 바라보았을 때 후회하지 않게
행복을 사랑하는 일

너를 사랑하고 너를 느끼는 일
아마도 그것은 행복인 것 같아

그런 의미에서 너는 나의 여름이자, 낭만이야

너에게 파랑을 보낸다

열심히 종이비행기를 접어
너에게 조준해

슝, 하고 날아가는 나의 비행기는
너에게도 도착하긴 하였을까

아니 어쩌면 중간에 떨어졌을지도 모르겠어
비행기가 장애물 없이 떨어졌다는 보장도 없잖아

그래서 나의 비행기의 도착지는 어디야

⚠독성

사랑을 잔뜩 받고 자란 꽃은 금세 무럭무럭 자라난다. 우리는 그 꽃을 항상 어루만지며 예뻐했지. 그 꽃은 아주 달콤한 향기를 내뿜었으니까.

그 달콤한 향기는 우리가 좋아하게 만들었어. 사실 그것은 그 꽃에게 최고의 장점이었지만 최고의 단점이기도 했지. 단내에 이끌리게 했던 꽃에게 독성이 있다고 누가 생각했겠어,

우리는 한동안 열병을 앓았다. 하나의 성장통이라고 생각하면서, 이것도 추억이라도 되새기면서.

돌봄을 받지 않은, 사랑을 받지 못한 꽃은 우리가 돌아왔을 때 거의 말라비틀어졌지. 너는 그 꽃에게 다시 손길을 내밀었어. 독성을 내뿜는 꽃도 사랑받을 자격이 있어, 라면서.

너는 나에게 때때로 독을 뿜었다. 난 그때마다 너의 모습을 떠올리며 다가서는 것을 두려워하지 않았지. 내가 준 사랑이 부족했던 걸까, 네가 가진 독이 강했던 걸까. 아직도 나에게 의문이지만.

사랑은 독성을 숨긴 꽃. 아름다움에 숨겨진 많은 아픔들이 존재하다 어떤 이들에게는 끝이라는 것을 선물해 주기도 한다.

있잖아, 내가 독을 치유하는 마법을 가지고 있었다면 너는 아프지 않았을까? 우리는 계속 그 꽃을 어루만지며 매일 이상적인 여름을 보냈을까?

첫사랑은 여운이 진한 독을 가졌어. 나는 평생 열병을 토해낼 것 같아. 나는 매일매일 이 열병이 다 나아지길 기원해. 단번에 바뀌리라고 생각하지는 않지만. 그래도 네가 나에게 좋은 기억으로 남길 바라니까.

꽃은 참, 알다가도 모르겠어.

영원≠사랑

달을 사랑한 그 아이는
저녁을 항상 기다리며 살았다
사계절 내내 달의 모양을 관찰하며
그 달이 고고하게 빛나는 것을 보며

아이의 노력에 마음이 흔들린 달은
모습을 바꿔 아이 앞에 나타났다
매일, 운명과 사랑에 대해 속삭이고
하루하루 서로에게 푹 빠지던 두 사람은
손가락 걸고 영원을 맹세했더랬지

이 사랑은 이루어질 수 없다며
둘의 사랑을 방해하던 별들

결국 별의 말이 다 옳았잖아, 달아.

달의 거짓을 알아차렸던 순간까지도
달을 사랑하지 않을 수 없었던
팔월의 밤이 지나간다

바다는 모든 것을 기억한다

모래에 무언갈 적었을 때,
파도가, 바다가 결국 모든 걸 휩쓸고 지나가잖아

그건 우리가 적은, 겪은 추억이 없어진 게 아니라
바다가 그 기억을 삼킨 거야

바다의 일은 모든 사람들의 이야기를 수집하는 일
그 자리에서 변치 않고 머무르는 일
결국 모두가 잊어버린 순간도
홀로 기억하는 일

해파리처럼 유영하다

끊임없이 유영한다는 것은
사랑과 같은 형태를 지녀서

나도 심장이 없이 계속 물 위를 떠다닌다면
행복할까, 해

심장이 없이 사랑할 수는 없잖아
차라리 나는 심장이 있는 채로
영원하지 않는 삶을 살래
행복하지 않는 게 행복할 것 같거든

모순된 말이지만
진실은 수평선 너머에 잠들었고

광합성

슬금슬금 햇빛으로 가

아, 내가 타들어갈 것 같아
그래도 이상하게 기분이 좋아져서
난 계속 햇빛에 머무르게 돼

난 잠깐의 감정을 위해
내 피부를 포기했다

그냥 이대로,
내가 재가 되어버려도 좋을 것 같아
아니면 이대로,
식물이 되어버려도 좋아

계속 햇빛만을 바라보는
식물이 되어서,
해바라기가 되어서

영원히 난 광합성을 해
끊임없이 햇빛을
죽을 때까지 바라보며
끝나지 않는 짝사랑을 해
해는 결국 수평선을 향해 기울지
내 하루에서 없어지는 순간이 있잖아

난 해가 없을 때,
다시 해가 찾아올 순간만을 기다려
뜬눈으로 아침을 기다려
해가 점점 나타나며
아침이 밝아오면
나는 그때부터 살아나

햇빛만을 바라보는 식물이 될 테니
나만 바라보라는 이기적인 말을 하진 않을게요
그냥 평범하게 내 일상을 밝혀 주세요
정말, 정말로 더는 바라지 않을게

나만이 바라볼 수 있다면
그걸로 충분하니까

[우리는 그림자를 영원이라고 칭하기로 하였다.]

0원

결국 두 사람이 사랑에 빠졌던 그 계절엔
아무것도 남지 않았어
그러니까,
거스름돈은 영원이야
그 영원이 네가, 내가 생각하는 건지는 잘 모르겠지만

0원은 0원할 거야
영원은 영원할 거야

일단 무언가 존재했었고
결과는 無지만

난 허공의 그 거스름돈을 건네받았어
내가 지불해서 얻은 게 아예 없는 건 아니니까

정말로 가지고 싶었어, 잔돈이라도

남아있는 꽃잎

당신은 꽃나무 같아요
보기만 해도 좋고, 행복해져서

그러니 계속 그 계절 동안 피어나 주세요
비가 와도 떨어지지 않으려 안간힘을 쓰고

비 따위에 지지 말아 주세요
굳건하게 남아 저의 계절을 밝혀 주세요

그러면
당신은 그 계절을 대표하는 꽃잎이 될 거예요
마지막으로 남은 꽃잎이 되겠죠

그럼 전 당신을 책 사이에 넣어 보관할게요
말라도 아름답게

이젠 내가 할 수 있는 일은
당신이 오래 머무르길 바라는 일이에요

너에게

처음에
세상의 모든 것은
너와 나로만 이루어진 줄 알고
네게 널 내 세상의 전부로 두어도 되냐고 물었다

하지만, 난 너의 세상의 전부가 아니었으니
우리는 영원하지 못했어

난 이미 네가 내 세상의 반이지만
네가 내 태양이자, 빛이자, 여름이고 초록이지만,
내 행운이자 행복이고, 낭만이자 청춘이었지만

추억은 그 자리에 남겨두는 게 네가 바라는 일이라면
나는 그것 또한 어기지 않으리

우리의 여름은 영원이라는 그림자만을 남긴 채

하루의 끝이 다가갈수록
그림자는 길어져
난 그림자가 우리인 줄 알았는데
그 그림자의 정의는 영원이었어

우리가 가득 채웠던 우리의 여름은
결국 영원이라는 거짓의 그림자를 남겼고

난 그 계절을 결국 그리워하며
남겨진 홀로의 그림자를 바라봐

정말,
어둡고 나만을 끈질기게 따라다니겠지
아마,
잊지 못할 거야
잊히지 못할 거야

정말 사랑했던 그 계절, 여름을
난 결국 나에게 지니게 되었다

end [부제-너에게(2)]

안녕, 잘 지내고 있으려나. 우리의 여름이 끝난 지 얼마나 시간이 지났을까. 난 많은 것에 너를 의미하고 생각했어. 그냥 함께한 순간순간이 이상하게도 기억에 또렷하게 남더라고. 내 눈이 카메라 같았어. 나의 청춘이었던 너에게. 나의 첫사랑이자 씁쓸한 끝사랑인 너에게. 있지, 넌 나라는 사람의 첫사랑이었고, 여름 그 자체였던 사람이었어. 그러니까, 넌 나의 사계절이 되어줄 줄 알았어. 이제 와서 후회는 안 하려고. 난 그 계절을 지니고 살 거야. 그림자로 두며 두고두고 볼 거야. 난 이미 너를 내 세상으로 치부했으니 아마 잊기엔 힘들겠지. 그러니, 가끔씩 떠올리는 것 정도는 용서해 줄래?

난 항상 여름을 사랑하던 사람이야. 청춘을 바라고 낭만을 새기고 살아가는.

나에게 영원이라는 이름으로 다가온 내 여름아. 정말, 온 힘을 다해 사랑하고 많은 것을 배우게 해 줬던 그 여름을 난 잊지 않을게. 앞으로도 쭉. 그러니 나는 이 계절에 쉼표를 남기기로 했어.

정말 안녕,
그리고 언젠간 닿길 바라며
지금은 쉬는 중이야.

쉼표.

[여담 ; 내가 추구하던 여름]

[내가 추구하던 여름]

나는 여름의 낭만을 추구하는 사람이자, 초록을 사랑하고 영원의 존재를 믿으려는 사람이다. 항상 여름을 고대하며 나만의 여름의 청춘을 창조하곤 했는데 내가 사랑하고 추구하는 여름 시집을 낼 수 있다는 것이 너무 신기하기만 하다. 내가 무언가 할 수 있다는 거, 그것은 지금의 용기가 아니라면 못할 것 같은 일. 어쩌면 나중에 추억으로 남을 수 있는 것을 해낸 것이라고 생각한다.

서론은 이렇게 마무리하고. 나는 영원을 정말로 좋아한다. 영원, 우리는 아름다운 순간을 영원하길 바란다. 생각해 보면 영원한 게 얼마나 있을까. 그리고 영원하다고 모든 것이 좋은 걸까. 난 그렇게 영원, 사랑, 청춘. 그리고 나의 여름. 내 추구하는 미를 잔뜩 넣어 이렇게 두 사람의 이야기를 창조했다. 그 여름에서 사랑을 나누던 두 사람의 영원을 속삭이던 순간. 둘만이 세상의 전부이자 여름이었던 날들을 추억하며 '나'는 결국 그 여름에 남아 추억을 회상하는, 첫사랑이자 끝사랑인 '너'를 생각하며 적은 편지이자 이야기라고 얘기해도 좋을 것 같기도 하다. 소설에 나올 법한 뻔한 이야기일 수도 있지만 읽는 사람 혹은 내가 직접 겪을 수도 있는 첫사랑과의 사랑과, 이별을 예쁘게 포장해서 담고 싶었다. 우린 언젠가 지금 시절을 추억할 테니 아름다운 기록으로 남기고 싶다고 생각하지 않는가. 사랑이란 본디 아름다운 것이기에 일부러 이 두 사람의 끝맺음을 정확히 하고 싶지 않았다. 두 사람은 정말 찬란한 여름을 보냈을 것이다. 그래서 이번 내 여름도 이렇게 청춘이 가득하길 바란다. 그것이 내 이번 그리고 매번 반복되는 여름에게 바라는 것이다.

본격적으로 시에 관한 이야기를 해 보자면 [여름을 추구하는 자], [영원의 쉼표], [우리의 그림자를 영원이라고 칭하기로 하였다]로 나눈 이유는 처음 사랑을 시작하고 그 사랑의 관계가 끝나는 것을 시간의 변화로 적은 것이다. [여름을 추구하는 자], '초록색 창문'에서는 내가 점점 너에게 사랑의 빠진다는 것을 보여주고, 그 감정을 이기지 못해 결국 잡아 먹혀지고 그런 바보 같은 모습도 '너'는 좋아해 줄 수 있는지에 대한 의문. 서툰 감정까지 사랑으로 치부하며 두 사람의 사랑이 절정에 빠지는 순간을 표현하고 싶었다. 이러한 사랑하는 감정을 두려움으로 느끼는 '나'의 심정을 담아낸 파트가 [영원의 쉼표]이다. 두렵고 '너'의 사랑이 불완전하다고 느끼기 시작한 순간을 담아내고 싶었고, 'you'로 나타냈다. '너'를 사랑하는 마음이 현재진행형이라서, 결국 '나'는 '너'의 사랑과 행복을 비는 조연이 되어버렸지만. 마지막으로 [우리의 그림자를 영원이라고 칭하기로 하였다]로 '우리'의 사랑은 끝났지만 난 여전히 '우리의 여름'에 머물러서 추억을 회상하고 있다는 것을 '너'에게 전하고 싶은 마음이다. '0원', 제목에서 나오듯 이중적인 해석으로 마지막 파트에서 이 마음을 많이 녹여내려고 했던 것 같다.

2022년부터 틈틈이 적어오던 시들과 내 추구하는 여름을 가득 넣어 만든 이 시들을 엮어 시집 작업을 할 수 있어서 새롭고 좋은 경험이었던 것 같다. 나의 취미를 구경하다 출판을 권유해 줬던, 영감을 줬던 친구들과 여러 가지 도움을 준 선생님들에게 감사를 표한다. 서툴고 엉성한 이 책을 읽어주신 사람들에게도 감사함과 기대에 미치지 못한 죄송함이 깃든다. 그리고, 이 이야기의 주인공인 두 사람이 어디에 실존한다면 당신들의 사랑이 어딘가엔 남아있길 바란다. 그리고 당신에게도 반짝임이 가득한 여름이 찾아오길 바란다. 최선을 다해서 사랑하고 사랑받을 여름을 위해서, 모두의 청춘을 위해서. 영원과 사랑을 위해서. 아직까지 난 정말 남들이 생각하는, 내가 추구하는 그런 첫사랑을 겪어본 적이 없지만 내 첫사랑은 여름에만 머무르지 않고 반복되는 사계절이 되어주기를.

추신. 난 추하고 미련 가득해서 널 계속 그리고 있어. 내 여름의 영원이자 모든 계절이 되어주기로 했던 너에게. 너는 나에게 달이자 태양이었고 너와 함께한 순간은 지금도 돌이키면 찬란한 것들로 가득해. 밉고 조금은 원망스러운 너지만 그래도 네가 꼭 행복했으면 좋겠어. 너는 좋은 사람이니까. 이런 나라서 미안해. 그렇지만 널 진심을 다해서 사랑했어. 그 해 여름은 정말, 내 인생 최고의 순간이었어. 이젠 끝나버린 우리의 추억을 위하여, 네 행복을 위하여. 종이비행기는 계속 접어 나만이 간직할게.

[우리의 여름은 영원이라는 그림자만을 남긴 채.]
아림